Tigre se prend pour un chien. En mettant un chat-chat
en présence de son chat-chien, Léo peut-il espérer
que le chat-chien devienne lui aussi un chat-chat ?
Le quotidien de deux petits garçons est chamboulé
par des chats têtus et cha… rmants.

COLLECTION KLAXON

Chat
va mal
pour Léo

Texte de
Laurent Theillet

Illustrations de
Marion Arbona

Le chat de Léo se prend pour un chien. Il aboie, il se balade toute la journée avec un vieil os dégoûtant entre les dents. Et quand on lui envoie une baballe en caoutchouc, eh bien, il court la chercher, puis il la ramène en sautillant, tout fier de lui! En plus!

Léo n'est pas très content de toute cette histoire.
D'abord parce qu'il préfère les chats, et de loin!...
Eh oui, c'est bien pour ça qu'il a choisi un chat et
non un chien. Alors vous imaginez, un chat-chien!
Quelle déception! Amère, la déception!

En plus son chat, qui s'appelle Tigre, fait la sourde oreille quand on l'appelle ! Il n'accourt que si l'on crie Rex ! ou Médor ! ou même Blacky ! Alors que non seulement Rex-Médor-Blacky est un CHAT, mais en prime il n'est ni black ni noir, non, pas du tout ! Il est tigré et roux ! Comme... comme un... ben comme un chat !

Le résultat, c'est que les copains se moquent furieusement de Léo et de son drôle de chat. Toute la bande s'esclaffe en regardant Tigre grogner et aboyer joyeusement le long de la palissade! Et même le meilleur ami de Léo, Alex, n'est pas le dernier à blaguer! «Couché, fais le beau, donne la papatte!» crie-t-il en riant aux éclats.

Léo, assis sous le porche de la maison,
regarde Tigre qui fait des arf! et des ouaf!
en courant autour du jardin, grattant la terre,
battant joyeusement de la queue, grognant en
mordillant sa baballe… Depuis que son chat
se prend pour un chien, Léo n'est plus tout
à fait le même. Il ne croque plus de chocolat,
ne joue plus dans sa cabane, ne dessine plus
de soleils souriants.

Ainsi Léo se sent tristounet.
«Triste comme un jour de pluie!»
pourrait ajouter sa grand-mère en
riant, même si dehors le grand soleil
brille comme un jaune d'œuf,
mais en plus gros.

Alex, qui passe encore par là, appelle d'une voix rieuse :
«Viens ici le chien-chien ! J'ai un beau nonos pour toi !»

Évidemment, Tigre se précipite fiévreusement sur la palissade en faisant des bonds et des drôles de grrr !

C'en est trop pour Léo ! Épaules voûtées et tête basse, il restera muet, un point c'est tout ! Mais Alex insiste…

«Léo! Hé, Léo! Je suis ton ami, non?»

— Si c'est pour te moquer, ce n'est pas la peine!
Vraiment pas!

— J'ai eu une IDÉE pour ton chat! crie presque
Alex, une idée lumineuse!

« Hier soir, j'ai vu une émission sur les caméléons ! ajoute Alex. Et les caméléons, c'est drôlement drôle ! Ça change d'aspect tout le temps. Ça s'appelle du "minétisme", ils ont expliqué, les savants. Il suffit qu'on les mette au milieu du vert pour qu'ils verdissent, du bleu pour qu'ils bleuissent, du rouge pour qu'ils... Bref, ils copient TOUT ! Alors, je me suis dit qu'on pourrait faire pareil ! »

— D'abord on dit du « mimétisme », répond Léo, éberlué.

— Tu connais mon chat Guignol ? le coupe Alex. Eh bien, je te prête Guignol, et tu le laisses traîner un moment avec ton chat à toi !...

— Et puis ?... demande Léo, médusé.

— ET PUIS ? répète Alex, mais... c'est simple comme bonjour ! À la fin de la journée ton chat sera à nouveau un chat ! LE MI-MÉ-TISME, je te dis ! Après cette journée avec mon Guignol, crois-moi, il saura qu'un chat est un chat !... C'est ça, LE MIMÉTISME !

Voilà, c'est comme ça que Léo se
retrouve seul, abasourdi, encombré
de deux chats (dont un chat-chien).
Le mimétisme ? Tigre qui court après
Guignol en aboyant comme un fou,
ce n'est pas fait pour aider ! Avec ça,
la bande des copains qui débarque
pile-poil pour voir Guignol, terrorisé,
se percher sur une branche de l'arbre
du jardin pendant que Tigre grogne
en montrant les dents, debout sur
ses pattes de derrière !

Toute la bande est écroulée de rire.
Pauvre Léo...

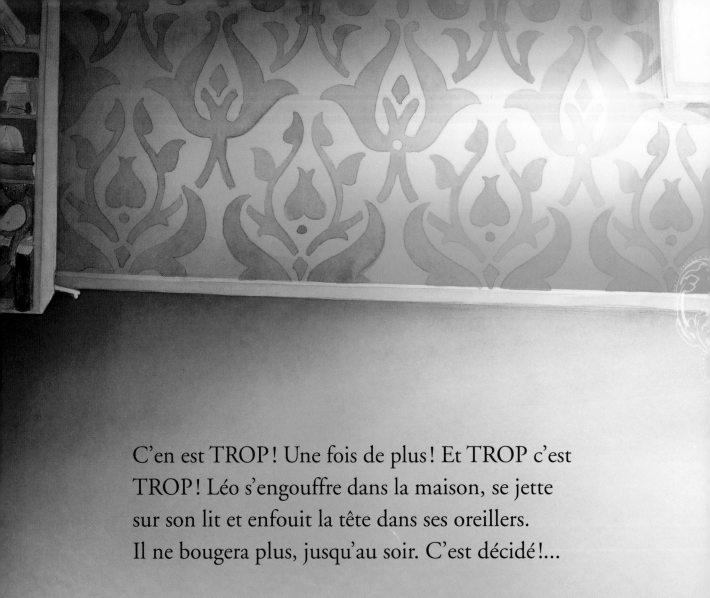

C'en est TROP! Une fois de plus! Et TROP c'est
TROP! Léo s'engouffre dans la maison, se jette
sur son lit et enfouit la tête dans ses oreillers.
Il ne bougera plus, jusqu'au soir. C'est décidé!...

Mais... Les oiseaux se sont tus ! Tout est calme !
Trop calme...
Et les chats ? Léo ouvre un œil, puis l'autre, et se
précipite dehors sans attendre.

Ils sont là, tous les deux ! Ni déchirures, ni morsures,
ni blessures ! Ça, c'est sûr ! Juste deux chats sages sans
rage ni ravages. Chages comme des images.

Tigre vient doucement vers Léo, la queue en point
d'interrogation.

Alors là! Le GRAND moment! Le VRAI bonheur!
Tigre se met à ronronner dans les jambes de Léo.
Et Léo le prend dans ses bras, le cajole, le caresse,
le câline, le carrosse, le canarde... Bref! Un petit
miaulement de joie vient même compléter la scène!

— Tigre mon chat, mon chaton, mon gâteau,
mon château, mon râteau! s'écrie Léo en riant
comme un fou.

Enfin, ça y était!

Tigre était redevenu un CHAT!

Le soir, tout est paisible dans la maison d'Alex.
Guignol, de retour dans sa cuisine, dévore une énorme
gamelle de poulet bio haché ! Il l'a bien méritée !

— Beau travail, mon chat, lui chuchote doucement Alex.
Sans toi, je crois bien que Léo serait tout chagrin et que
Tigre aboierait encore ! Quelle idée ! Vouloir être un chien
quand on est un chat ! Enfin, grâce à nous et au fameux
« minétisme » ! Pas vrai, Guignol ?

Alors Guignol lève son petit museau gris...

... et WOUARF! fait Guignol en battant de la queue!
WOUARF!?! Oh non!...

DISTRIBUTION EN AMÉRIQUE DU NORD

Canada et États-Unis :
Messageries ADP
2315, rue de la Province
Longueuil (Québec) J4G 1G4
Pour les commandes : 450 640-1237
www.messageries-adp.com

DISTRIBUTION EN EUROPE

France :
INTERFORUM EDITIS
Immeuble Paryseine
3, Allée de la Seine
94854 Ivry-sur-Seine Cedex
Pour les commandes : 02.38.32.71.00
www.interforum.fr

Belgique :
INTERFORUM BENELUX SA
Fond Jean-Pâques, 6
1348 Louvain-La-Neuve
Pour les commandes : 010.420.310
www.interforum.be

Suisse :
INTERFORUM SUISSE
Route A.-Piller, 33 A
CP 1574
1701 Fribourg
Pour les commandes : 026.467.54.66
www.interforumsuisse.ch

Catalogage avant publication de Bibliothèque et Archives nationales du Québec et Bibliothèque et Archives Canada

Theillet, Laurent, 1962-

Chat va mal pour Léo

(Collection Klaxon)
Pour enfants de 4 ans et plus.

ISBN 978-2-923342-56-6

I. Arbona, Marion, 1982- . II. Titre. III. Collection : Collection Klaxon.

PS8639.H44C42 2011   jC843'.6   C2011-940028-6
PS9639.H44C42 2011

Chat va mal pour Léo
a été publié sous la direction
de **Jennifer Tremblay**

CONCEPTION GRAPHIQUE
Folio infographie

IMPRESSION
Transcontinental

LES ÉDITIONS DE LA BAGNOLE
1209, avenue Bernard Ouest, bureau 200
Montréal (Québec) H2V 1V7
leseditionsdelabagnole.com

Les Éditions de la Bagnole reconnaissent l'aide financière du gouvernement du Canada par l'entremise
du Programme d'aide au développement de l'industrie de l'édition (PADIÉ) pour leurs activités d'édition.
Les Éditions de la Bagnole remercient de leur soutien financier le Conseil des Arts du Canada et la Société
de développement des entreprises culturelles du Québec (SODEC). Les Éditions de la Bagnole bénéficient
du Programme de crédit d'impôt pour l'édition de livres du gouvernement du Québec, géré par la SODEC.

Merci à Michel Therrien pour sa précieuse collaboration.

⚜ Imprimé au Québec, Canada